Dit boek is van:

Van Yvonne Jagtenberg verschenen bij Leopold
de prentenboeken:

Balotje en de beren
Balotje en het paard (bekroond met een Vlag en Wimpel 2006)
Balotje en de baby
Balotje op vakantie

www.yvonnejagtenberg.com
www.leopold.nl

Yvonne Jagtenberg

en haar hartsvriendin

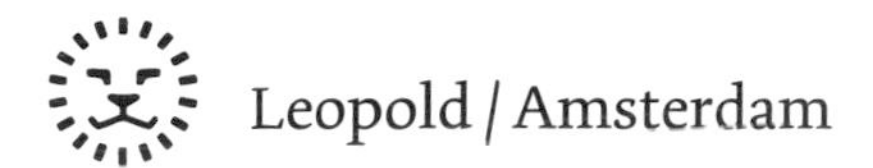

Voor Germaine en Noranne

Omslagtekening en illustraties Yvonne Jagtenberg
Omslagontwerp Petra Gerritsen
Binnenwerk Studio Cursief
NUR 282 / ISBN 978 90 258 5170 5

Inhoud

1 De liefste

Over twee jaar ben ik net zo oud als Fien nu is, denkt Hartje Upsala. Maar dan is Fien ook weer twee jaar ouder. Fien blijft altijd twee jaar ouder dan ik. Jammer is dat.
Hartje ligt in haar bed. Ze draait op haar zij. En weer op haar rug.
Het is nog vroeg, maar Hartje kan niet meer slapen.
Ze heeft vandaag met Fien afgesproken. Ze gaan elfje spelen op hun geheime plek.
Hartje kijkt uit het raam. Nog niemand te zien.
Geen elfje en geen Fien.
Hartje klimt uit haar hoge bed. Op haar blote voeten trippelt ze naar de kast. Snel doet ze de kastdeur open, anders piept hij en worden papa en mama wakker. En die willen uitslapen op zondag. Ze hebben de hele week hard gewerkt.
Ik doe vandaag mijn rode jurk aan, zegt Hartje tegen zichzelf. Mijn elfenjurk. Met deze jurk en losse haren zie ik er ouder uit. Véél ouder, denkt ze, als ze even later in de spiegel kijkt.

Hartje sluipt de trap af. En glipt door de glazen schuifdeur naar buiten. De tuin in. Het plein op. Het is nog vroeg in de ochtend. Er is niemand buiten.
Fien woont ook op het plein. Dicht bij Hartje. Op het plein wonen meer kinderen, maar Fien is haar beste vriendin.
Hartje huppelt. Haar losse haren huppelen mee. Als een mooi geel vlaggetje in de wind.
Drie keer kleppert Hartje met de brievenbus.
Dan weet Fien dat zij het is.

Er gebeurt niets.
Misschien is ze al weg, denkt Hartje.

Ze huppelt naar het bos achter het plein. Het is een mooi bos met eiken en berken. Bijna alle tuinen van de huizen komen uit in het bos.
Een betoverd bos. Dat zegt Fien altijd.
Vol elfjes en feeën.
Hartje huppelt naar de oude boom met het elfenbankje. Daar is hun geheime plek.
Fien is er niet.
De zon schijnt op Hartjes gezicht. Lekker warm.
Fijn geen jas aan vandaag, denkt ze. Een jas staat niet mooi bij mijn rode jurk. Elfjes hebben ook nooit een jas aan. Zelfs niet als het regent. Elfjes schuilen voor de druppels onder een blad of in een holletje van een muis.
Ze pakt een stokje van de grond. Mooi toverstokje.
Maar waar blijft Fien nou?
Hartje holt terug naar het plein.
Bij het huis van Fien klimt ze op het muurtje naast de deurbel. Ze drukt met haar wijsvinger op de bel.
Het klinkt van ding-dong. Best hard.
De deur gaat open, op een kier.
Daar is Fien. Ze ziet er heel netjes uit. En naast Fien staat haar papa.

'Fien kan vandaag niet spelen,' zegt Fiens papa. 'Ze gaat met mij mee op bezoek.'
'O,' zegt Hartje teleurgesteld.
De papa van Fien is alweer weg.
'Zullen we voor morgen afspreken?' fluistert Hartje.
'Oké,' knikt Fien blij. 'Morgen.'

Hartje zit op de bank van het plein. Ze denkt aan Fien en haar papa.
De papa van Fien heeft alleen Fien. Fien heeft geen mama meer.
Zielig is dat, vindt Hartje. Mijn papa en mama hebben elkaar. En mij. En ik heb Fien. Als ik Fien niet had, dan...
'Hartje!' schalt het over het plein.
'Ik heb je al twee keer geroepen...'
Papa hangt met zijn hoofd uit het raam.
'Kom je nog? Je hebt nog niks gegeten!'

'Waarom ben ik eigenlijk kleiner dan Fien?' vraagt Hartje terwijl ze een boterham met pasta en muisjes maakt.
'Je bent niet zo veel kleiner,' zegt papa. 'Je bent jonger.'
'Dat bedoel ik,' zegt Hartje. 'Hoe kan het dat ik jonger ben?'
'Omdat Fien eerder geboren is,' zegt mama.
'Waarom ben ik niet gelijk met Fien geboren?' vraagt Hartje. 'Dat was veel leuker geweest.'
Mama zucht. Papa lacht.
''t Is de natuur die dat bepaalt. En ook een beetje papa en ik, die het druk hadden met andere dingen,' zegt mama.

'Met werken,' zegt Hartje.
'Misschien,' zegt papa. 'Maar toen ineens was jij er. Het liefste meisje van de wereld.'
'En van het plein,' zegt mama.
'De liefste, dat is Fien,' zegt Hartje. Het klinkt boos.
'Jullie zijn alletwee lieve meisjes,' zegt papa met volle mond. 'Gaan jullie vandaag nog spelen?'
Hartje is stil. Ze drinkt in één keer haar beker leeg. En zet hem met een klap op tafel. Ze staat op en holt de tuin in.
Boven in de boom schiet een eekhoorntje weg.
Hartje gaat op zoek naar steentjes. Die spaart ze. Steentjes en mooie stokjes.
Fien is écht de liefste vriendin die ik heb, denkt ze. En morgen na school ga ik met haar spelen!

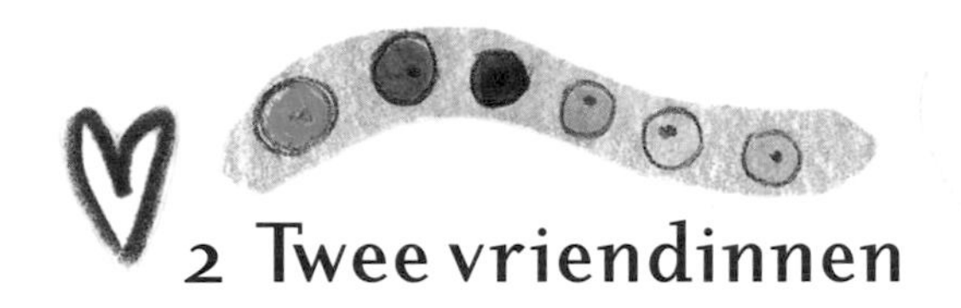

2 Twee vriendinnen

Met haar tong duwt Hartje tegen haar voortand. Hij gaat van voor naar achter.
Een raar gevoel, een losse tand.
Vorig jaar in groep twee gingen er twee tanden uit. Daar kwamen nieuwe grote-mensen-tanden voor in de plaats. Nu is Hartjes voortand aan de beurt. Eindelijk!
Het geeft haar een fijn gevoel. Een nieuw gevoel.
Van het tekenblaadje dat voor haar neus ligt vouwt Hartje een doosje. Een tandendoosje. Voor als de tand er straks uit is.
De juf loopt door de klas. Ze kijkt naar wat iedereen tekent.
'Wat ben je aan het doen, Hartje?' vraagt ze verbaasd. 'We zijn aan het tekenen, niet aan het vouwen.'
Jammer, denkt Hartje. Ze vouwt het doosje langzaam weer uit. En dan tekent ze met een grijs potlood een monster met één tand.

Na school wacht Hartje op Fien. Ze skeelert rondjes op het plein. Grote en kleine.
Anne loopt voorbij.
'Heb jij Elske gezien?' vraagt ze.
Hartje schudt van nee.
'We doen verstoppertje,' zegt Anne. 'Doe je mee?'
Hartje schudt nog een keer van nee.
Ik ga alleen met Fien spelen, wil ze zeggen. Maar ze zegt het niet. Als ze het zegt, willen Elske en Anne natuurlijk ook meedoen. En dat wil Hartje niet.
Als Anne de andere kant op loopt, skeelert Hartje snel weg. Het geheimpad op.

Fien zit in de boom op een tak. Met haar skeelers aan. Ze wacht op Hartje.
'Kom snel,' zegt ze. 'We moeten ons verstoppen voor de kwade elfen.'
Hartje klimt de boom in. Het gaat niet makkelijk met skeelers aan. Maar het lukt.
'De boze elfen willen ons pakken,' zegt Hartje.
'Daar zijn ze!' roept iemand onder aan de boom.
Het zijn Anne en Elske.
'Wat doen jullie daar?' vraagt Anne.
'Spelen,' zegt Fien.
'Mogen wij meedoen?' vraagt Anne. Ze kijkt er een beetje zielig bij.
Fien schudt haar hoofd en Hartje trekt haar neus op.
'Nee,' zegt Fien. 'Ik wil alleen met Hartje spelen.'
En ik met Fien, denkt Hartje.
Ze kijkt naar Anne en Elske.
Die zijn boos. Dat ziet Hartje wel.
'Waarom wil je eigenlijk met Hartje?' vraagt Anne. Het klinkt gemeen. 'Hartje is toch veel te klein voor jou.'
Hartje schrikt.
'Ik ben niet klein,' zegt ze. 'Ik ben jonger, maar ik ben niet klein.'
'Ja,' zegt Elske. 'En daarom kunnen we ook niet met je spelen. Oudere kinderen weten meer. Als je ouder bent, dan ben je slimmer.'
'Dat is niet waar,' zegt Fien zacht.
'Nee, dat is niet waar!' schreeuwt Hartje.
Ze wordt boos. Ze zou wel willen schoppen en slaan. Maar dat gaat niet. Ze zit in een boom. Met haar skeelers aan.
'Het is gewoon zo,' zegt Elske. 'Mijn oma bijvoorbeeld, die is heel oud en daarom weet ze ook heel veel.'

Hartje kijkt naar Fien.
Die zegt niks. Het lijkt wel alsof ze bang is.
Hartje bijt op haar lip. Dat doet pijn. Gingen die stomme meiden maar weg, denkt ze.
'Van Hartje kan je heel veel leren,' zegt Fien ineens. 'Ze weet veel meer dan jullie.'
Hartje kijkt weer naar Fien. Maakt Fien een grapje?
Fien lacht niet. Ze knippert zenuwachtig met haar ogen. Ze ziet er niet blij uit, ze lijkt meer op een ziek vogeltje dan op een mooi elfje op een tak.
De andere meisjes zijn ook stil.
Wat moet ik zeggen? denkt Hartje.
'Je weet zeker niks, hè?' zegt Anne. Het klinkt plagerig.
Even is het stil. Zo stil dat je de bosmuisjes kunt horen lopen.
Ik moet iets bedenken, denkt Hartje. Het móét voor Fien.
'In het bos wonen hele kleine zwarte beestjes,' zegt ze snel. 'Ze heten teken en als ze je bijten, word je heel erg ziek.'
'Is dat waar?' vraagt Anne verbaasd.
'Natuurlijk is het waar,' zegt Hartje boos.
'Waar zijn die beestjes dan?' vraagt Elske.
'In eikenbomen en op planten,' zegt Hartje.
'Welke planten?' zegt Elske met een rare stem. Je kan horen dat ze Hartje niet gelooft. 'Er zijn zoveel planten...'
Hartje kijkt naar beneden.
'In zo'n plant,' zegt ze. Ze wijst naar een plant naast Elske.
'Zitten hier die beestjes in?' vraagt Anne.
'Ja,' zegt Hartje zelfverzekerd. 'Die plant zit vol met teken!'
Anne begint te gillen. Een hele hoge gil. Elske gilt nog harder. De meisjes hollen weg.
'Ik zei het toch, Hartje weet meer dan jullie!' schreeuwt Fien hen na.

‘Wat een gemene boselfjes waren dat, hè?’ zegt Fien opgelucht.
Ze kijkt weer blij.
Hartje knikt.
‘Maar gelukkig ben jij het slimste elfje van het bos,’ zegt Fien.
Hartje lacht. Die Fien toch.

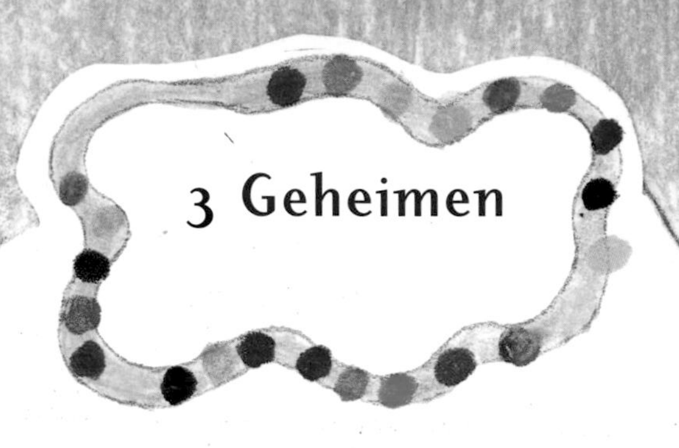

3 Geheimen

Het is al bijna avond. Hartje helpt papa. Ze ruimt de tafel af. Dat doet ze altijd. Dan kan papa weer snel aan het werk. Net als mama, die ook altijd moet werken.
Fien staat buiten. Ze roept Hartje.
Hartje kijkt naar papa.
'Oké,' zegt hij. 'Nog heel even dan.'
Hartje holt naar buiten. Als ze op het plein komt, zit Fien al op het bankje. Ze tovert een boekje van onder haar T-shirt tevoorschijn. Het is een glitterboekje. Op de voorkant zitten twee elfjes boven op een tak.
'Wauw,' zegt Hartje. 'Dit is het mooiste boekje dat ik ooit heb gezien.'
'Ik heb het van mijn tante gekregen,' zegt Fien. 'Het is een geheimenboekje. Een boek om geheimen in te schrijven.'
'Leuk,' zegt Hartje zacht. Ze is stiekem best een beetje jaloers op Fien met haar mooie geheimenboekje.
'Leuk en jammer,' zegt Fien. 'Want ik heb geen geheimen.'
'Ja, jammer...' zegt Hartje. Zonde van zo'n mooi boekje, denkt ze.
'Heb jij misschien een geheim?' vraagt Fien. Ze kijkt Hartje hoopvol aan.
Hartje denkt na. Een geheim? Dat is moeilijk.
'We kunnen erin schrijven van onze geheime plek,' zegt ze.
'Nee,' zegt Fien. 'Het moet een nieuw

geheim zijn. Ben je misschien verliefd?' Ze lacht er geheimzinnig bij.
Hartje schudt van nee. Verliefd zijn is stom, denkt ze. Maar dat hoeft Fien niet te weten.
'Heb je wel eens snoep gestolen?' vraagt Fien.
Hartje lacht. 'Dat is toch geen geheim. Mama weet best dat ik af en toe een snoepje pak.'
'Heb je soms een keer uit je neus gegeten?' vraagt Fien verder.
Hartje moet nu érg hard lachen. Ze rolt bijna van de bank.
Maar Fien lacht niet.
'Ik vind het niet grappig,' zegt ze boos. 'Als we geen geheim hebben, wil ik niet meer spelen.'
Hartje schrikt.
Fien ziet het.
'Vriendinnen hebben nou eenmaal geheimen samen,' zegt ze. 'Anders ben je geen échte vriendin.'
'Maar je hebt zelf toch ook geen geheim,' zegt Hartje. Ze wordt een beetje boos.
Fien haalt haar schouders op.
Hartje staat op. Ze loopt weg. Bah, wat doet Fien flauw, denkt ze. Hoe kan ik nou een geheim bedenken als ik het niet heb?
Ze duwt met haar tong tegen haar tand.
Ineens weet ze het!
'Ik heb een geheim!' roept ze naar Fien.
Fien wenkt dat ze op het bankje moet komen zitten.
Hartje kruipt weer naast Fien. Maar ze zegt niks. Ze laat alleen haar tanden zien. Ze doet alsof ze lacht.
Fien kijkt. Ze kijkt heel ernstig.
Dan duwt Hartje langzaam met haar tong tegen haar voortand.
'Ik weet het,' fluistert Fien. 'Je tand zit los.'
Hartje knikt. Ze kijkt nu heel tevreden.

Fien begint meteen ijverig te schrijven.
'Wat een goed geheim,' zegt ze.
'Nu moeten we ook een geheim voor jou bedenken,' zegt Hartje.
'Weet je écht niks?'
Ze vindt een geheim bedenken voor een ander veel te moeilijk.
'Ja, misschien wel iets,' zegt Fien. 'Dat ik snel jarig ben.'
'Maar dat is toch geen geheim,' zegt Hartje.
'Nee, dat niet. Maar wel wie er allemaal op mijn feestje mogen komen,' zegt Fien. 'Dat weet niemand.'
Hartje klapt in haar handen. Wat een goed geheim!
Fien begint weer ijverig in haar geheimenboekje te schrijven.
Hartje leest mee. Fien maakt een lange lijst met namen. Bovenaan komt háár naam te staan: Hartje.
En dan Elske en Anne.
Fien schrijft stevig door. Ze bijt op haar tong. Een grappig gezicht, vindt Hartje.
Dan horen ze de papa van Fien roepen. Fien moet binnenkomen.
Het is bedtijd.
'Jammer,' zegt Fien. Ze zucht. 'Ik zal de lijst vannacht moeten afmaken.'
Hartje knikt.
'Niemand mag het zien,' zegt Fien.
'Nee, niemand,' zegt Hartje.
'Ik schrijf het in het pikkedonker,' zegt Fien. Ze lacht.
Spannend, in het donker schrijven, denkt Hartje. En moeilijk.
De papa van Fien komt aanlopen. Hij komt Fien halen.
Hartje holt snel naar binnen. Zij moet ook naar bed.

Even later ligt Hartje onder de dekens. Ze slaapt niet, want ze is niet moe. Ze denkt aan de geheimen.
Met één vinger in de lucht schrijft ze de naam van Fien. En dan haar eigen naam.

‘Geheimen,’ fluistert ze tegen zichzelf in het halfdonker.
En weer krijgt Hartje dat fijne gevoel. Dat nieuwe gevoel. Maar dat komt dit keer niet door de losse voortand. Dat komt door de geheimen. De geheimen die ze deelt met Fien.

4 Een cadeau

Hartje loopt met mama in de stad. Ze lopen door een drukke winkelstraat. Hartje krijgt nieuwe kleren omdat haar kleren te klein zijn geworden.
Maar Hartje kijkt niet naar nieuwe kleren. Ze is op zoek naar het beste cadeau voor haar beste vriendin. Maar dat kan ze niet hardop zeggen, want mama weet van niks. Niks van het feest van Fien.
Ik moet een mooi cadeau voor Fien kopen, denkt Hartje. Ze kijkt in de etalage. Er staan levensgrote knuffels. Apen en konijnen.
Ik wil het mooiste en leukste cadeau geven van alle vriendinnen, denkt Hartje. Iets waar Fien héél blij mee zal zijn.

Als ze op de kledingafdeling komen, graait mama in een bak. Ze pakt een T-shirt met lange mouwen.
'Wat vind je hiervan?' vraagt ze aan Hartje.
Hartje haalt haar schouders op. Ze vindt niet snel iets mooi. Maar bijna alles wat thuis in haar kast hangt, is te klein. Behalve dan de rode jurk, die past nog wel. Dat moet gewoon.
Ik wens dat de rode jurk altijd blijft passen, denkt Hartje.
'Ik wil iets met stippen of bloemen, deze kleren zijn saai,' zegt ze.
'Dan moeten we verder zoeken,' zegt mama.
Hartje zucht. Ze zijn nog maar net begonnen, maar het duurt haar nu al te lang.
Mama loopt naar een rek met jurken.
'Gaan we straks nog naar het speelgoed?' vraagt Hartje.
'Misschien,' zegt mama. 'Eerst nieuwe kleren.'
Hartje kijkt in het rond. Bij een ander rek met jurken staat een

meisje. Een groot meisje. Een meisje dat zelf haar kleren mag kopen.
Het meisje heeft een mooie tas om. Een groene met vlinders.
Dat zou een mooie tas voor Fien zijn, denkt Hartje. Een mooi cadeau voor haar verjaardag. Waar zou het meisje die tas gekocht hebben? Misschien wel in deze winkel. Dan kan ik hem ook kopen. Voor Fien.
Hartje knijpt haar ogen dicht. Zo kan ze Fien zien met die tas.
Als ze haar ogen weer opendoet, kijkt het meisje haar aan.
Hartje kijkt snel de andere kant op. Het meisje mag niet zien dat ik naar haar kijk, denkt ze.

Hartje staat met mama bij de kassa. Mama rekent af. Hartje heeft een jurk gekregen en een broek.
Als mama klaar is, mag Hartje de tassen met kleding dragen.
'Kom,' zegt mama, 'we gaan in het restaurant iets drinken.'
'Zullen we nog verder kijken?' vraagt Hartje.
'Nee,' zegt mama. 'Ik ben moe van het shoppen. En ik heb dorst.'
Even later zit Hartje achter een kop chocolademelk. Choco met slagroom. Dat is het lekkerste wat er is. Maar Hartje drinkt niet. Ze denkt na.
Hoe kan ik nou een cadeau voor Fien kopen? Als ik mijn chocolademelk op heb, wil mama natuurlijk naar huis, denkt ze.
'Ik heb nog wel iets nodig,' zegt Hartje.
'O,' zegt mama. 'Wat dan?'
'Een tas,' jokt Hartje. Ze kijkt mama met grote ogen aan. Jokken is moeilijk, vindt ze.
Mama lacht. 'Je bent niet jarig!'
'Maar ik heb een tas nodig voor school,' zegt Hartje. 'Echt waar!'
Nu kijkt mama met grote ogen. Ze lacht een beetje.
'Nou, vooruit,' zegt ze. 'Omdat je zo lief bent.'

Als Hartje thuiskomt, holt ze met de tas naar boven. Ze ploft neer op haar bed.
Ze maakt de tas open en dicht.
Mooie tas, denkt Hartje. Het is een vriendschapstas. Ons geheimenboek past er precies in.
Uit haar tekendoos pakt Hartje een dikke roze stift. Naast één van de vlinders tekent ze een mooi hart.
Dan weet Fien voor altijd dat ze de tas van mij gekregen heeft, denkt ze. Dan kan ze altijd aan me denken.
Hartje stopt het cadeau ver weg. Onder haar bed. Fien mag de tas natuurlijk nog niet zien. Het moet een geheim blijven... Tot ze jarig is, denkt Hartje blij.

5 Een wens

Hartje zit op de bank. Ze kijkt televisie.
Dan staat Fien plotseling voor de open schuifdeur.
'Kom je naar buiten?' fluistert Fien. 'Er is iets ergs.'
Hartje schrikt. Het moet wel heel erg zijn, want Fien ziet er niet vrolijk uit.
'Ik kom eraan,' zegt Hartje.
Snel pakt ze een paar snoepjes uit de snoeppot. Voor Fien, om haar op te vrolijken.

Als Hartje buiten komt, zit Fien al op de bank op haar te wachten. Hartje geeft Fien een snoepje en neemt er zelf ook één.
'Wat is er?' vraagt ze.
Fien haalt haar schouders op.
'Er komt geen verjaardagsfeest,' zegt ze.
Geen feest? G-e-e-n f-e-e-s-t? Hoe kan dat? Hartje kan het bijna niet geloven.
'Als je jarig bent is er toch altijd een feest,' zegt ze.
'Papa heeft een verrassing voor me met mijn verjaardag,' praat Fien verder.
'Een verrassing?' vraagt Hartje.
'En ik mag niet weten wat het is. Het is een geheim.'
Waarom moet de papa van Fien nou ook ineens geheimen hebben? denkt Hartje. Flauw is dat.
'Misschien neemt papa me mee naar een pretpark of zo. Of gaan we met z'n tweeën naar de film,' zegt Fien.
Hartje zegt niks.

De papa van Fien snapt er niks van, denkt ze. Naar de film is wel leuk. Maar niet zo leuk als een feestje met al je vriendinnetjes.
Hartje wil iets zeggen. Maar dat gaat niet.
'Er is niks aan te doen,' zegt Fien. 'Alles gaat altijd zoals papa het bedenkt.'
Hartje weet dat Fien gelijk heeft. Papa's en mama's spelen toch eigenlijk altijd de baas. Dat is bij mij ook zo, denkt ze.
Van woede duwt ze met haar tong tegen haar tand. De tand wiebelt, maar zit nog steeds vast.
Ineens krijgt Hartje een idee.
'Als mijn tand eruit gaat, dan komt de tandenfee,' zegt ze.
Fien zegt niks.
'Dan mag ik een wens doen,' zegt Hartje. 'Dat heb jij een keer verteld.'
'Klopt,' zegt Fien.
'Dan wens ik dat jij je verjaardagsfeestje mag vieren. En dat ik op je feestje mag komen,' zegt Hartje.
Fien kijkt Hartje aan. Ze klapt in haar handen.
'Wat een goed idee!' zegt ze blij.
Ze staat op en begint te zingen als in een musical.

'Ik wens, ik wens
een feest met patat.
Een feest met mayonaise
en een polonaise!

Ik wens, ik wens
een feest voor mij.
Een feest voor ons.
Een feest met cadeaus.
Dan pas ben ik blij...'

En dan weet Fien het even niet meer.
Hartje zingt verder:

'Een feest met vriendinnen
een hele hoop.
Anders worden we
héél erg boos..'

Even zijn Hartje en Fien helemaal vrolijk.

'Feest, feest, feest...
Dat is wat we willen
het allermeest!'

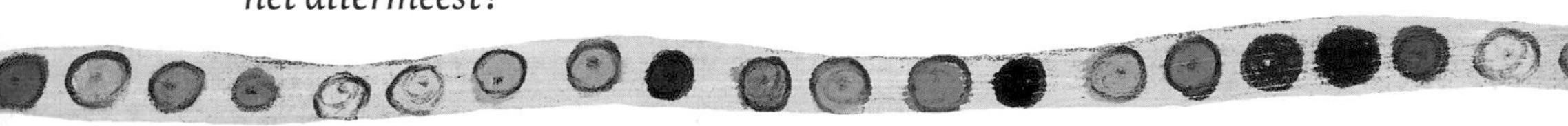

'Ja,' zegt Fien. 'Ik wens écht een feest.'
'Maar jij hebt geen wiebeltand,' zegt Hartje. 'Jij mag geen wens doen.'
'Dat is waar, ' zegt Fien.
De meisjes gaan weer op de bank zitten.
'Wanneer denk je dat je tand eruit gaat?' vraagt Fien.
'Ik weet het niet,' zegt Hartje.
'Ik hoop snel,' zegt Fien. Ze kijkt Hartje hoopvol aan.
'Ik denk morgen,' zegt Hartje.

Hartje kleedt zich uit. Haar kleren vallen op de grond. Maar ze raapt ze niet op. Ze is moe. Ze moet nadenken. En plassen.
Even later zit ze in haar blootje op de wc.
'Ken jij de tandenfee?' vraagt ze aan mama.
'Daar heb ik wel eens van gehoord,' zegt mama.
'Dus ze bestaat écht?' vraagt Hartje.

'Weet ik niet,' zegt mama. 'Ik geloof niet in feeën.'
Mama kijkt in de spiegel.
Op de spiegel zit een vlieg. Een dikke strontvlieg.
'Elfjes bestaan toch ook,' zegt Hartje.
'Vliegen, die bestaan,' zegt mama. 'Maar elfjes... die heb ik nog nooit gezien.'
Mama gaat op een krukje staan. Ze heeft een vliegenmepper in haar hand. Ze probeert de vlieg te meppen. Maar dat gaat niet makkelijk. De vlieg vliegt steeds weg.
Pets, pets, pets, klinkt het door de badkamer. Hartje wordt er duizelig van.
En dan weer: Pets.
'Hebbes!' zegt mama.
De vlieg is dood. Hij valt op de grond.
Hartje kijkt ernaar. Een dooie platte vlieg, zielig is dat. Misschien nog wel zieliger dan geen feest, denkt ze.

Hartje ligt in bed. Mama pakt haar in. Als een cadeautje. Dat vindt Hartje lekker.
'En wat gebeurt er als de tandenfee komt?' vraagt mama.
'Als de tandenfee komt, mag ik een wens doen,' zegt Hartje.
'Dan hoop ik voor jou dat ze bestaat,' zegt mama.
'Dat hoop ik ook,' zegt Hartje.
En ik hoop het voor Fien, denkt ze.

6 Een tand en een brief

Hartje is niet ziek, maar ze doet alsof.
Ze hoeft van mama niet naar school.
Ik kan niet naar school, denkt Hartje. Ik heb vandaag andere dingen te doen. Belangrijke dingen. Ik moet een brief schrijven voor de fee. En mijn tand moet eruit.
Mama komt de kamer in lopen. Ze buigt zich voorover naar Hartje en legt een hand op haar voorhoofd.
'Hoe gaat het met je?' vraagt ze lief.
'Niet zo goed,' jokt Hartje. Ze kreunt.
'Vervelend,' zegt mama. 'Ik moet aan het werk. Als er iets is, roep je maar.'
Als mama met de koffie naar haar werkkamer verdwijnt, gaat Hartje rechtop op de bank zitten.
Eerst de tand eruit. Dan komt de brief.
Hartje pakt haar tand stevig vast. Ze draait en trekt.
Het is nog hetzelfde als gisteren. De tand kan naar voren en naar achteren, maar niet opzij of in het rond.

Hartje staat bij het aanrecht.
Waar kan ik op bijten dat hard is? denkt ze.
Een appel is best hard.
Hartje zoekt in de fruitschaal naar een appel. Er ligt er nog één.
Hartje wil een hap nemen, maar de appel is zacht. Hij heeft een heleboel bruine plekken.
Dan krijgt Hartje een idee. Ze haalt een mes uit de la.

Met een mes kun je snijden. Maar dat doet Hartje niet. Hartje tikt met de achterkant van het mes tegen haar tand. Tik, tik, klinkt het in haar hoofd.
De tand gaat nauwelijks heen en weer. Zo zacht gaat het.
Jammer, denkt Hartje. Een mes is niet hard genoeg.
Ze kijkt eens goed om zich heen.
Hoe krijg ik mijn tand er nu uit? denkt ze.

In de schuur staat een hoop troep. En ook nog wat fietsen.
Hartje zoekt in de kist met gereedschap. Waar zou de hamer zijn?
Op de grond in de hoek, naast een paar oude planken, ligt een hamer. Het is een zware, voor een meisje als Hartje.
Ze aarzelt. Zou het pijn doen, een hamer tegen je tand?
Ik moet flink zijn, denkt Hartje. Dan heb ik straks een tand. En dan kan ik een brief schrijven aan de fee. Met mijn wens dat Fien haar verjaardagsfeestje mag vieren met vriendinnen. En dat ik mag komen. En dan... dan komt alles toch nog goed.
Hartje doet haar mond wijd open. Ze tikt tegen haar tand. De tand gaat naar achteren. Dan tikt ze tegen de achterkant. Zachtjes. Heel voorzichtig. De tand mag niet stuk, want dan heb ik niks, denkt Hartje. De tandenfee komt echt niet voor een tand in honderd stukjes.
Het is wel een spannend karweitje, zo in het halfdonker in de schuur. Hartje hoort haar adem. En het tikken van de hamer.
De tand smaakt naar bloed. Niet echt vies.
Dan hoort ze in het halfdonker haar naam. 'Hartje!'
Het is geen fee, het is mama die roept.
O nee, denkt Hartje. Mama mag niet weten dat ik hier ben.
Ze doet snel een stap opzij. Ze staat nu achter de deur. Verstopt.
Ineens gaat met een grote zwaai de deur open.

De klink van de deur komt tegen Hartje aan. Tegen haar tand. Het doet geen pijn. Maar Hartje roept wel: 'Auw!'
De tand valt op haar tong. Het bloedt heel erg.
Mama schrikt.
'O help,' zegt ze. 'Heb ik dat gedaan? Doet het pijn?'
Hartje lacht. Ze spuugt haar tand uit op haar hand.
'Mijn tand!' roept ze blij. 'Mijn tand is eruit!'

Hartje ligt op de bank. Op haar buik. Haar wangen gloeien. Ze schrijft haar brief voor de fee. En dat is best moeilijk. Ze weet nog niet alle woorden. Ze zit pas net in groep drie.
Naast de bank staat een krukje. En op het krukje staan twee bakjes. Eén met snoep. En één met een tand. Hartjes tand.
Eerst tekent Hartje twee meisjes hand in hand. Twee meisjes met op hun hoofd een feestmuts. Bij het ene meisje schrijft ze *Fien* en bij het andere meisje *Hartje*. Daarboven schrijft ze: *Ik wens dat ik op het veest van Fien mag koomen.*
Hartje wikkelt de tand met de brief in een rol wc-papier. De hele rol gaat op.
Hartje doet er een paar snoepjes bij. Feeën zijn dol op snoepen.

Hartje huppelt de tuin uit. De brief moet naar de geheime plek. Het schemert al. Hartje kijkt naar boven. Door de takken van de boom ziet ze de grijze lucht.
Ik hoop dat ik snel iets van de fee zal horen, denkt ze. Ik ga elke dag iets lekkers brengen, dan komt mijn wens vast uit.
Hartje maakt een klein elfendansje om de boom. Heel mooi. Maar niemand ziet het.

7 Een vreemde fee

'Luister,' zegt Fien. 'Misschien moeten we gewoon nóg een brief schrijven.'
Hartje en Fien zitten op de grond bij de boom met het elfenbankje. Het is vandaag geen mooie dag. Het is koud en winderig. Maar dat maakt niks uit.
Hartje en Fien zijn gekomen voor de tandenfee. Het is al een paar dagen geleden dat Hartje haar brief onder de boom heeft gelegd, maar ze hebben nog steeds niks gehoord. Nu wachten ze op een teken van de fee.
'Nog een brief?' vraagt Hartje. 'Dat kan toch niet. De tandenfee komt toch geen brieven halen. Alleen tanden.'
'Dat is waar,' zegt Fien. 'Een brief zonder tand, dat kan niet.'
Fien voelt aan haar tanden. Ze heeft al een paar nieuwe grotemensen-tanden. Maar die zitten natuurlijk allemaal vast.
'Jammer,' zegt Fien. 'Ik heb geen losse tand.'
Ze kijkt boos. 'We kunnen hier niet de hele tijd blijven wachten,' zegt ze. 'Ik ben al bijna jarig.'
Hartje knikt. Fien heeft gelijk. Als de fee niet komt, gebeurt er niks. Dat zou heel erg zijn.
Hartje staart naar de grond. Ze durft Fien niet aan te kijken.
'Fien?' vraagt ze voorzichtig. 'Denk jij... geloof jij... dat de tandenfee écht bestaat?'
'Natuurlijk bestaat ze!' zegt Fien boos. 'Doe niet zo dom. We hebben toch steeds eten gebracht? En elke dag was het eten toch op?'
Hartje knikt. Dat klopt. Ze hebben elke dag eten gebracht naar het elfenbankje.

'Maar waarom laat de fee dan niks van zich horen?'
'Dat weet ik ook niet,' zegt Fien. Ze schopt tegen de boom. En nog een keer. Boze schoppen zijn het.
'Je tand is meegenomen,' zegt ze tegen Hartje. 'De brief ook. En het eten is opgegeten...'
Dat klopt allemaal. Maar toch klopt het niet.
'Misschien heeft iemand anders alles meegenomen en opgegeten,' zegt Hartje.
Fien staat stil. Ze kijkt Hartje met grote ogen aan.
'Als dat waar is...' zegt Fien. 'Dan moeten we gaan posten.'
'Posten?' vraagt Hartje. 'We hebben toch geen brief?'
'Nee,' zegt Fien. 'Posten betekent dat je gaat kijken wat er gebeurt. Wij moeten kijken wat er gebeurt als we eten neerleggen.'
'Ik snap het,' zegt Hartje. Ze holt al weg.
'Wij hebben thuis hele lekkere koeken!' roept ze.

Fien en Hartje liggen achter een struik. Ze wachten.
In de verte komt een man aanlopen met een hond. De man heeft een baard, en een deken om. Hij draagt twee plastic tassen.
Als de man bij de boom komt, ziet hij de koeken liggen. Hij pakt een koek en neemt een hap.
Hartje springt op. 'Dat mag niet!' roept ze.
Ze holt naar de man en grist de koek uit zijn handen.
De man kijkt beteuterd. 'Waarom mag ik deze koek niet opeten?' vraagt hij verbaasd. 'Ik heb hem zelf gevonden!'
'Die is voor de tandenfee!' zegt Hartje.
'Maar er zijn twee koeken,' zegt de man.
'Oké,' zegt Hartje. 'Je mag één koek opeten, maar de andere is voor de tandenfee.'
De man knikt. Hij lacht. Zijn tanden zijn helemaal bruin. Het is een gek gezicht.

De man eet zijn koek. De meisjes zitten naast hem op de grond. Ze zeggen niks. Ze kijken alleen maar naar de etende man en zijn hond. Als de man zijn koek op heeft, gaat hij spelen met zijn hond. Hij gooit steentjes weg en de hond haalt ze op. Het is een grappig gezicht: een klein zwart hondje met zijn bek vol stenen. De man lacht. Hij lacht naar zijn hond.
'Wij zijn goeie vrienden, mijn hond en ik,' zegt hij. 'Hij is heel belangrijk voor mij.'
Fien knikt. 'Wij zijn ook vriendinnen,' zegt ze. Ze wijst naar Hartje. 'Hartje is mijn beste vriendin en ik ben haar beste.'
'Dat is mooi,' zegt de man. 'Vriendschap is kostbaar. Wonen jullie hier in de buurt?' vraagt hij dan.
'Ja,' zegt Fien.
'Ik woon overal,' zegt de man. 'Overal waar het fijn is. Dit hier is een fijne plek.'
De meisjes knikken.
'Dat komt omdat hier elfen en feeën komen,' zegt Fien.
'Bijzonder,' zegt de man.
'De tandenfee komt hier ook,' zegt Hartje. 'Zij maakt dat mijn wens in vervulling gaat.'
'Zo, zo,' zegt de man. 'En wat wens je?'
Hij kijkt Hartje doordringend aan.
Hartje kijkt in de bruine ogen van de man. Hij is nu heel dichtbij. De man ruikt naar bier en naar bos.
'Mijn wens is dat Fien een verjaardagsfeest mag geven en dat ik mag komen,' zegt ze.
De man snuift. 'Dan doe je dat toch gewoon,' zegt hij.
'Dat is het probleem,' zegt Fien.
'Ja,' zegt Hartje, 'er is geen feest.'
De man staat op en pakt zijn tassen. Hij zegt: 'Elke dag is het feest. Je moet alleen wel zelf de slingers ophangen.'

Hij fluit naar zijn hond. Ze lopen samen weg.
De meisjes kijken hen na. Ze zijn stil.
'Misschien was dit wel een fee,' zegt Hartje.
Fien proest het uit van het lachen.
'Een fee met bruine tanden. Nee, dat kan niet.'

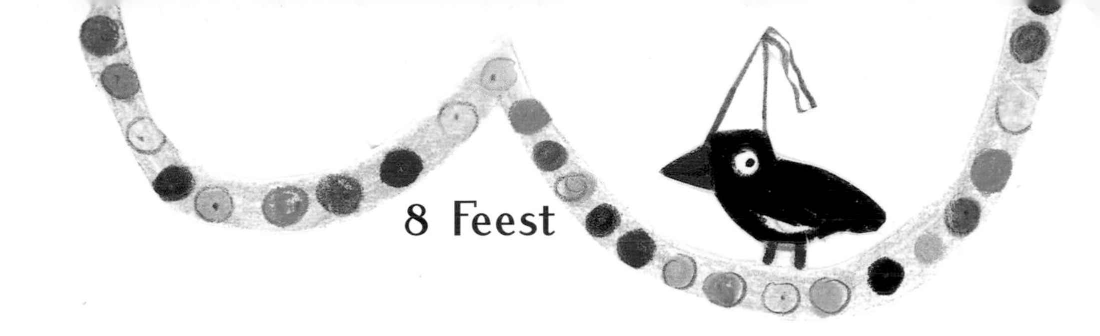

8 Feest

'Nog één nachtje slapen en dan ben ik jarig,' zegt Fien.
En dan is alles voor niks geweest, denkt Hartje. Geen tand meer, geen wens, geen fee...
De vriendinnen hangen ondersteboven aan het klimrek. Het schoolplein is leeg. De school is uit. Hartje mag van mama nog met Fien op het plein spelen.
Fien laat zich vallen van het rek. Dat kan ze heel goed.
Dat komt omdat Fien ouder is, denkt Hartje. Over twee jaar kan ik dat ook.
'Ik denk dat de tandenfee niet bestaat,' zegt Fien ineens. Ze zucht erbij.
Hartje schrikt. Wat zegt Fien nu weer?
'Geloof jij niet in de tandenfee?' vraagt ze.
'Ik weet niet...' zegt Fien.
'Ik geloof wel in feeën,' zegt Hartje boos. 'Ze bestaan écht!'
Hartje laat zich nu ook vallen van het rek. Het doet wel pijn, maar het lukt. Ze veegt haar vieze handen af aan haar kleren.
'Misschien was die man die onze koek opat toch wel een echte fee,' zegt Hartje.
Fien lacht. Het klinkt als uitlachen.
'Dat kan niet,' zegt ze. 'Een fee is een meisje met lang haar en vleugels.'
Hartje is stil. Ze wil geen ruzie met Fien, maar als Fien zo doet, dan wil Hartje eigenlijk niet meer spelen.
'Heb je dan wel eens een échte fee gezien?' vraagt ze. Ze kijkt Fien doordringend aan.

Fien haalt haar schouders op. Ze bijt op haar lip. 'Nee,' zegt ze.
'Hoe weet je dan hoe feeën eruitzien?' zegt Hartje boos.
Ze pakt haar jas en holt naar huis. Ze moet bijna huilen, maar ze doet het niet.

Hartje staat voor de kast. Ze trekt schone kleren aan. Deze zijn vies van het spelen.
Hartje pakt haar rode jurk. Haar elfenjurk.
Als de elfenjurk niet meer past, dan... dan moet er een andere elfenjurk komen, denkt ze. Of een elfenbroek. Misschien dragen elfjes ook wel broeken. Of misschien zelfs wel een jas als het heel erg koud is.
De bel klinkt. Het is Fien.
'Wil je met me spelen?' vraagt ze.
Ze kijkt op haar allerliefst.'
'Oké,' zegt Hartje.
Ze pakt haar jas en loopt met Fien mee naar buiten.
'Misschien heb je gelijk,' zegt Fien. 'Misschien was die man een fee. Een fee met een baard zonder vleugels.'
Hartje knikt. Ze wéét dat ze gelijk heeft.
'Weet je nog wat hij zei?' vraagt Fien.
Hartje denkt na. De man zei heel veel. Over vriendschap en zo. En over feest.
'Elke dag is het feest,' zegt ze. *'Maar je moet zelf de slingers ophangen.'*
Fien knikt. Ja, dat was het.
Ze pakt Hartje bij de hand en begint te dansen.
'Mórgen ben ik jarig,' zegt ze.'Maar vandaag vieren we mijn feest!'
Fien danst nu in haar eentje over het het plein. Ze draait rond en rond en rond. Ze zingt:

'Het is feest! Het is feest!
Ik ben nog nooit zo blij geweest!'

Hartje moet lachen. Zij begint ook te dansen.
'Een tandenfee met bruine tanden,' zingt ze.
Ze draait Fien achterna.
'Het maakt niks uit hoe de tandenfee eruitziet,' zegt ze. 'Mijn wens komt uit!'
De meisjes dansen als elfjes over het plein. Ze zingen heel hard.

'Ik wens, ik wens
een feest met patat.
Een feest met mayonaise
en een polonaise!

Ik wens, ik wens
een feest voor mij.
Een feest voor ons.
Een feest met cadeau's.
Dan pas ben ik blij.'

Fien stopt met dansen. 'Ik ga thuis snoep en drinken halen. En slingers natuurlijk,' zegt ze.
Hartje knikt. Wat een goed idee. Het wordt een écht feest met slingers en snoep en ...
Het cadeau, denkt Hartje. De vriendschapstas met de vlinders en het hart.
Hartje wil al weghollen, maar dan bedenkt ze zich.
Ze draait zich om naar Fien.
'Kom eens hier!' roept ze.
Fien holt naar Hartje.

De twee meisjes staan nu tegenover elkaar. Ze zijn niet even oud, maar wel bijna even groot. Hartje en Fien.
'Wat is er?' vraagt Fien.
Hartje zegt niks. Ze pakt Fien beet en tilt haar op.
'Kijk,' roept ze. 'Ik kan jou optillen!'
Fien lacht. Ze kijkt heel blij.
'Jij bent mijn slimste en sterkste vriendin,' zegt ze. 'Mijn allerbeste vriendin.'
'Fienie Pienie,' zegt Hartje. 'Mijn hartsvriendin!'

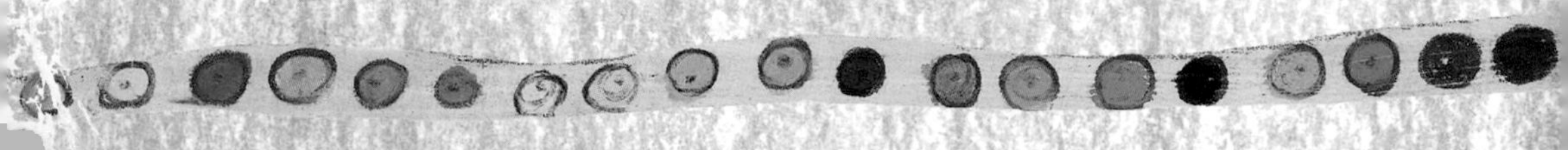